# Premiers Jeux de logique et de réflexion

Cette édition par Chantecler, Belgique-France
Illustrations : J. Heylen
D-MM-0001-419
Imprimé dans l'UE

# L'INTRUS

Regarde ces dessins. L'un d'eux est indésirable.
Lequel ?

# LES MOTS MASQUÉS

Trouve les mots dans la grille. Cherche de droite à gauche,
de gauche à droite, de haut en bas, de bas en haut et en diagonale.
Dès que tu as trouvé un mot, barre-le dans la grille et dans la liste.
Parmi les lettres restantes, élimine celles qui se trouvent en double
et forme un mot avec les autres.

| | | | | | | | | | | |
|---|---|---|---|---|---|---|---|---|---|---|
| T | E | C | H | A | R | P | E | S | M | A |
| E | H | E | C | A | L | G | M | O | L | G |
| N | N | E | I | G | E | E | U | M | E | P |
| N | X | U | E | J | S | F | I | L | O | A |
| O | V | I | E | S | L | T | T | G | G | T |
| B | K | G | E | E | S | A | P | I | N | I |
| S | U | T | S | E | D | I | O | R | F | N |
| L | I | L | E | T | S | E | V | K | R | E |
| V | R | E | B | M | O | T | K | A | O | R |

- ski
- gel
- jeux
- luge
- glace
- neige
- veste
- froid
- sapin
- bonnet
- moufle
- tomber
- patiner
- écharpe
- vitesse

# LES FLEURS

Trouve la lettre qui manque au centre de chaque fleur.
Il s'agit de la première lettre des mots inscrits
dans les pétales.

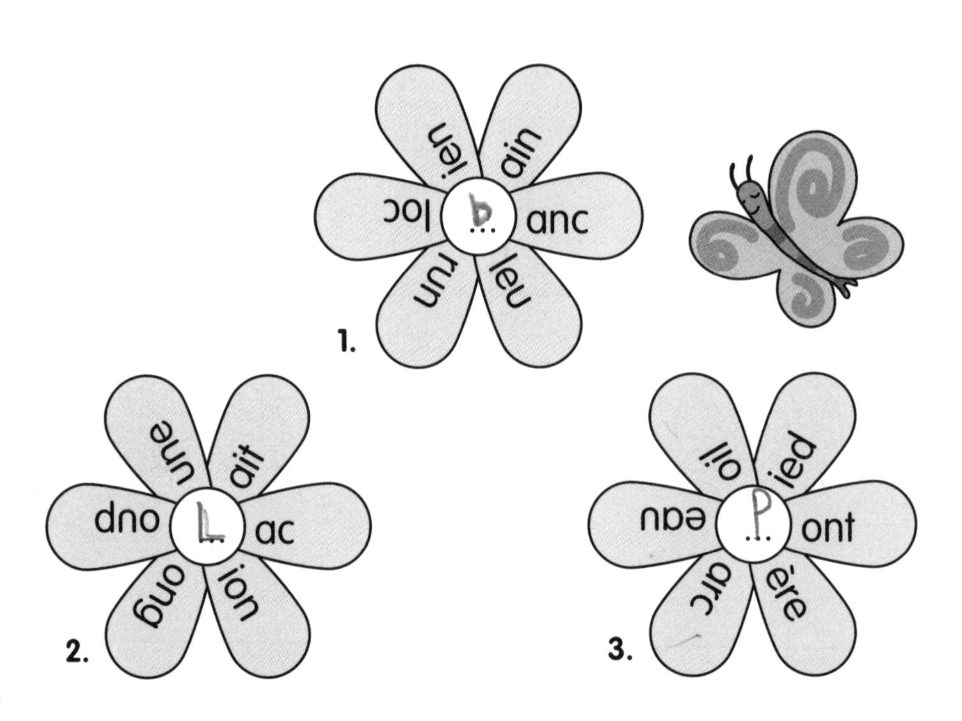

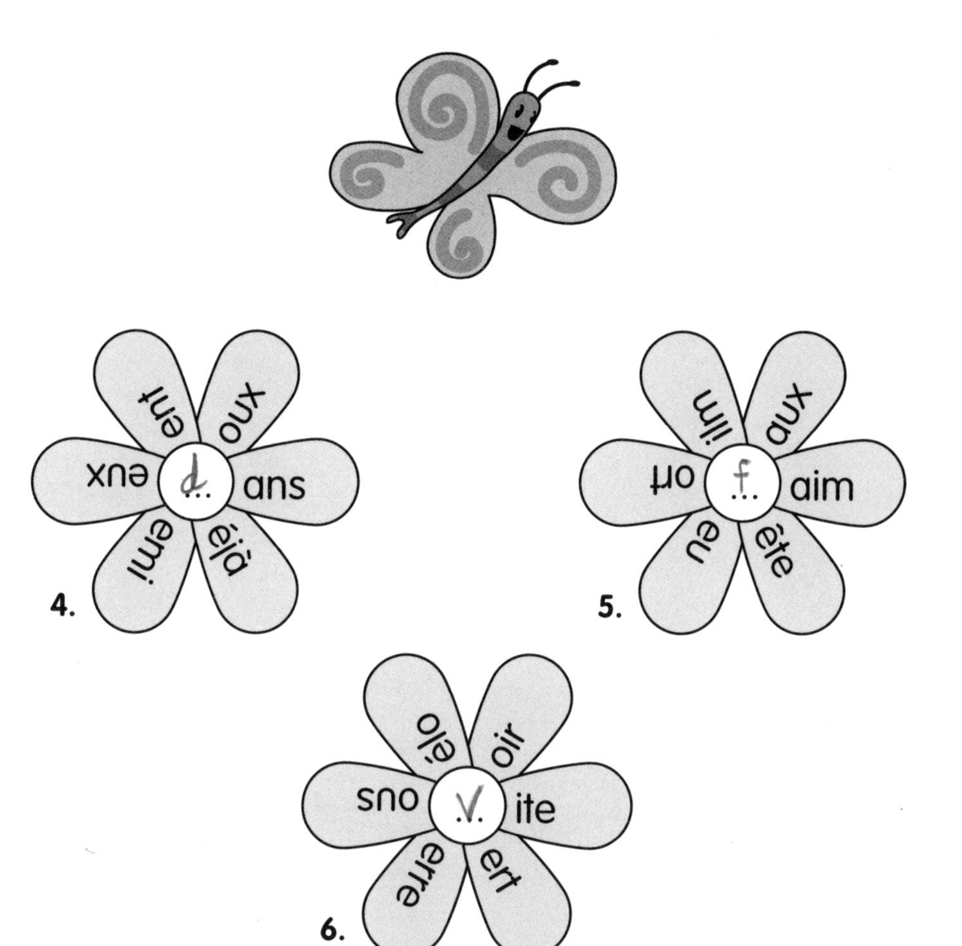
4.
ent
oux
ans
éjà
emi
eux
5.
ilm
aux
aim
ête
eu
ort
6.
élo
oir
ite
ert
erre
ous

# LES CUBES DE MOTS

Dans ces mots croisés, les mots s'écrivent de gauche à droite et de haut en bas. À toi de compléter les grilles !

1. Elle permet à un oiseau de voler.
2. Petite île.
3. Petit rongeur paresseux.
4. Verbe d'état.

5. Partie du corps humain.
6. Pas courant.
7. Difficile.
8. Pas à deux.

9. Contraire de sud.
10. Bord d'une forêt.
11. Participe passé de recevoir.
12. Plus qu'un.

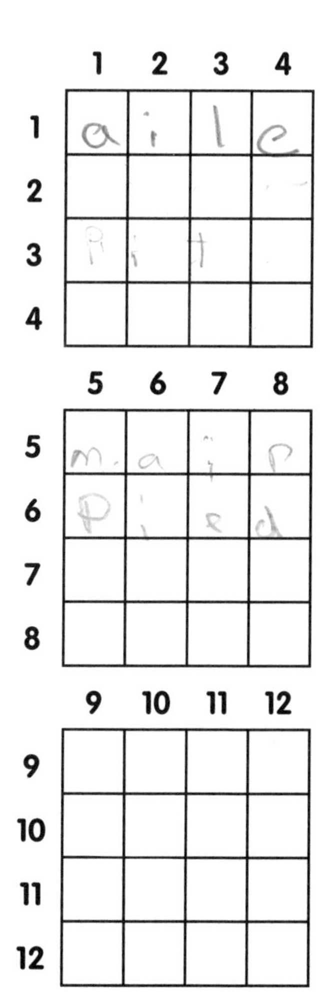

# LES RANGÉES DE SIGNES

Regarde bien les huit rangées de signes ci-contre.
Réponds ensuite aux questions.

1. Une rangée contient-elle tous les signes ? . . . . . . . . . . . . . .
2. Quel signe apparaît le plus souvent ? . . . . . . . . . . . . . .
3. Quel signe apparaît le moins souvent ? . . . . . . . . . . . . . .
4. Quels signes apparaissent le même nombre de fois ? . . . . . . . . . .
5. Quelles rangées sont identiques ? . . . . . . . . . . . . . .
6. Combien de signes différents y a-t-il ? . . . . . . . . . . . . . .

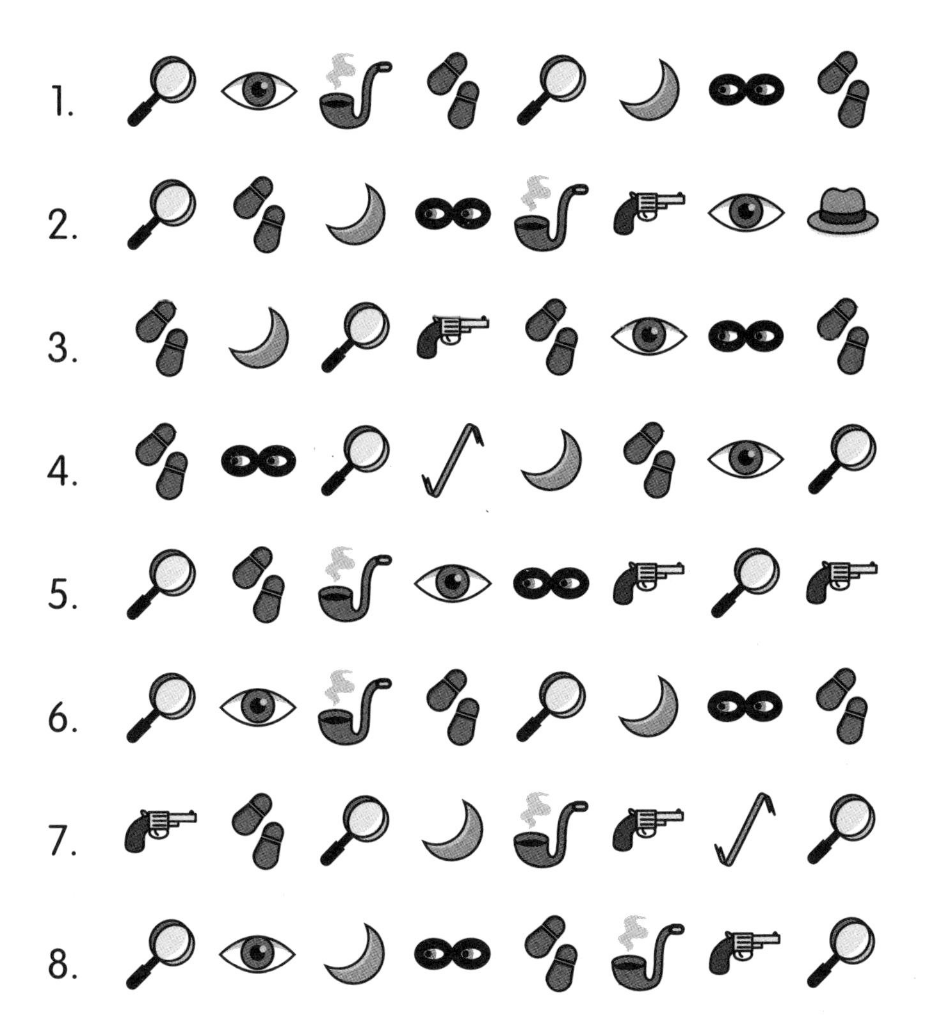
1.
2.
3.
4.
5.
6.
7.
8.

# RIEN QUE DES C

Trouve les mots correspondant aux définitions et remplis la grille. La première lettre de chaque mot est C. Mais attention : l'ordre des mots n'est pas celui de la grille. Si tu as bien inscrit les mots à la bonne place, tu liras verticalement le nom d'une forme géométrique, dans les cases imprimées en gras.

1. Elle sert à ouvrir les portes. (3 lettres)
2. Adjectif démonstratif pluriel. (3 lettres)
3. Personnage de cirque. (5 lettres)
4. 3e personne du singulier (ind. présent) du verbe cogner. (5 lettres)
5. Pièce de la maison où l'on prépare les repas. (7 lettres)
6. Habitant de la Chine. (7 lettres)
7. Synonyme de diriger. (9 lettres)

| | | | C | ... | ... | | | |
|---|---|---|---|---|---|---|---|---|
| | | C | ... | ... | ... | ... | | |
| | C | ... | ... | ... | ... | ... | ... | |
| C | ... | ... | ... | ... | ... | ... | ... | ... |
| | C | ... | ... | ... | ... | ... | ... | |
| | | C | ... | ... | ... | ... | | |
| | | | C | ... | ... | | | |

# LES DÉLICIEUX GÂTEAUX

Le cuisinier a envie de préparer des gâteaux.
Dans la cuisine, voilà ce qu'il trouve comme ingrédients.
Combien de gâteaux pourra-t-il faire et que va-t-il rester ?
Pour un gâteau, il a besoin de :

Le cuisinier pourra préparer ... gâteaux.

Il restera : ..............................................................................

BEURRE
150 G
1 KG
SUCRE
675 G
FARINE

# LES MOTS MASQUÉS

Trouve les mots ci-dessous dans la grille. Cherche dans toutes les directions. Les mots ne se croisent pas. Dès que tu as trouvé un mot, barre-le dans la grille et dans la liste. À la fin, il reste vingt lettres qui forment le titre d'un conte. Lequel ?

fée
conte
géant
pierre
roi
cadeau
reine
sorcière
nain
souris
lutin
princesse
bois
prince
magie
loup
poison

| | | | | | | | | | | |
|---|---|---|---|---|---|---|---|---|---|---|
| S | I | O | B | S | I | R | U | O | S | P |
| L | A | B | E | I | G | A | M | E | R | L |
| E | L | C | O | N | T | E | S | I | L | O |
| N | O | S | I | O | P | S | N | E | A | U |
| R | E | I | N | E | E | C | R | O | I | P |
| N | U | B | O | C | E | G | E | A | N | T |
| I | I | S | N | D | E | R | R | E | I | P |
| A | O | I | S | O | R | C | I | E | R | E |
| N | R | R | M | A | N | N | I | T | U | L |
| P | C | A | D | E | A | U | T | F | E | E |

# LES INTRUS

Sur chaque cerf-volant se cache un mot intrus. Trouve-le.

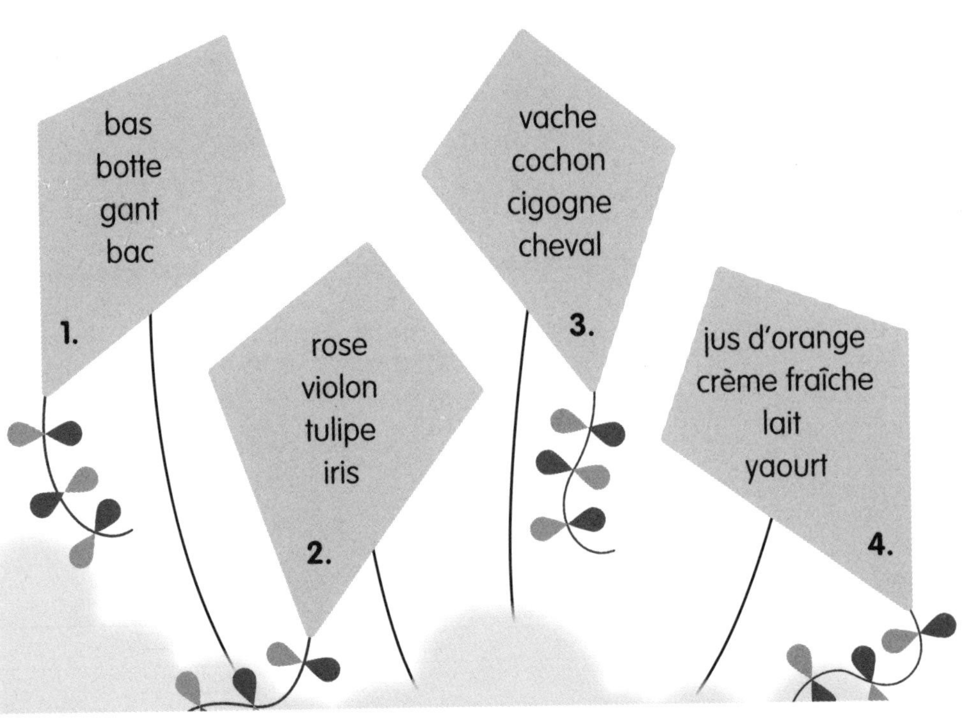

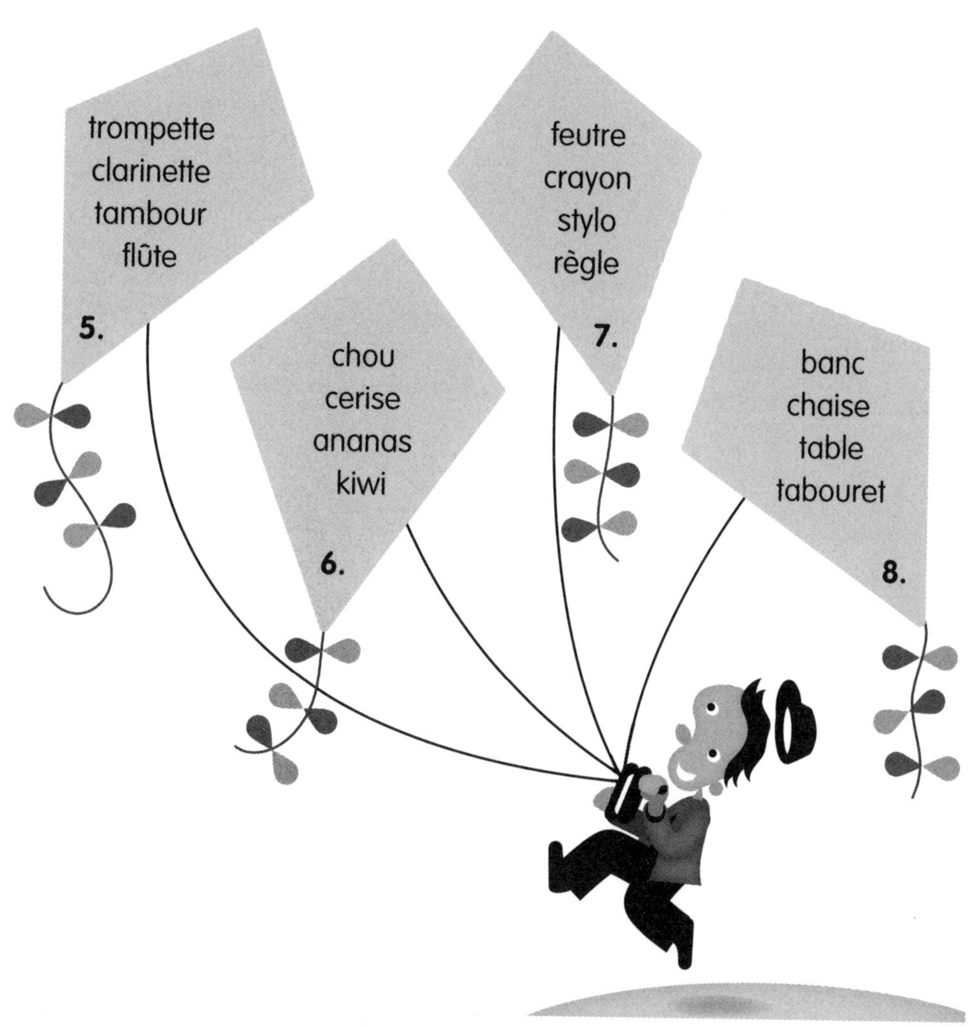
trompette
clarinette
tambour
flûte
5.
chou
cerise
ananas
kiwi
6.
feutre
crayon
stylo
règle
7.
banc
chaise
table
tabouret
8.

# LES COCCINELLES

Regarde attentivement les coccinelles et barre celles qui répondent aux conditions ci-dessous. Près de chaque coccinelle se trouvent des mots. Place les mots des coccinelles restantes dans le bon ordre. Que lis-tu ?

Barre les coccinelles dont :

- le nombre de points est divisible par 2.
- la somme des points est égale à 9.
- la somme des points est égale à 7.

| ... | ... | ... | ... |
|---|---|---|---|

| ... |
|---|

| ... | ... | ... |
|---|---|---|

| ... | ... | ... | ... |
|---|---|---|---|

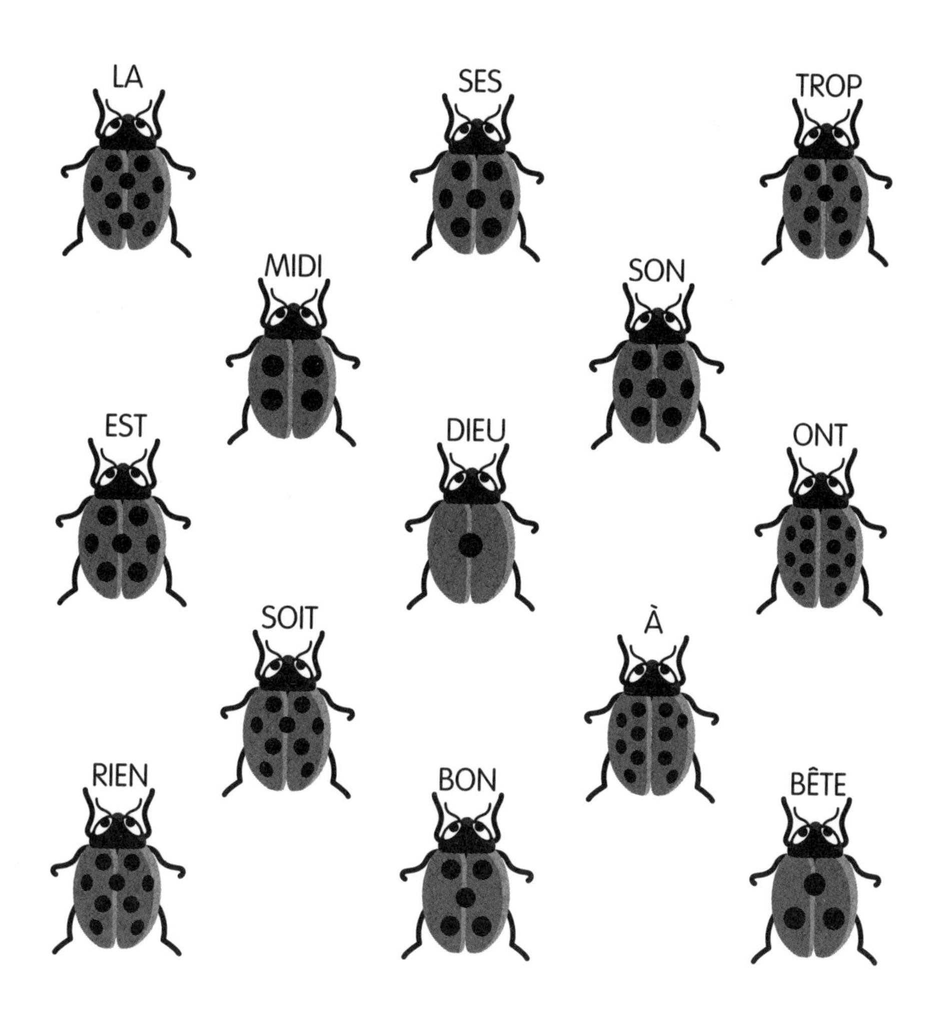
LA
SES
TROP
MIDI
SON
EST
DIEU
ONT
SOIT
À
RIEN
BON
BÊTE

# LES CRAYONS

Déplace trois crayons pour obtenir quatre carrés indépendants.

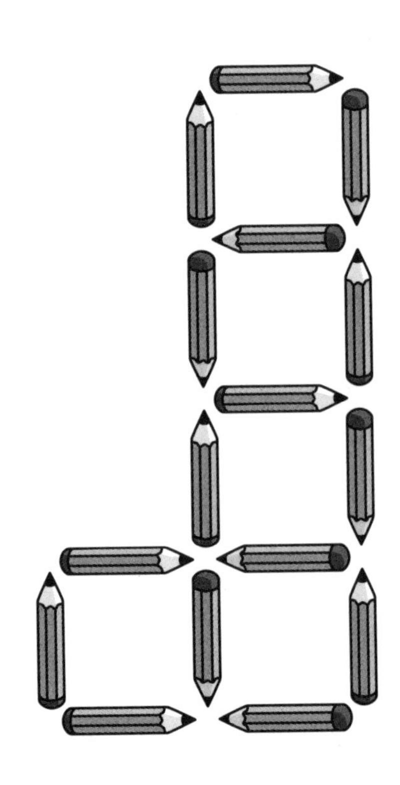

# SIX LETTRES, C'EST TROP !

Une lettre intruse s'est glissée dans chacun des mots ci-dessous. Écris-la dans la case derrière le mot et tu liras un nouveau mot de haut en bas.

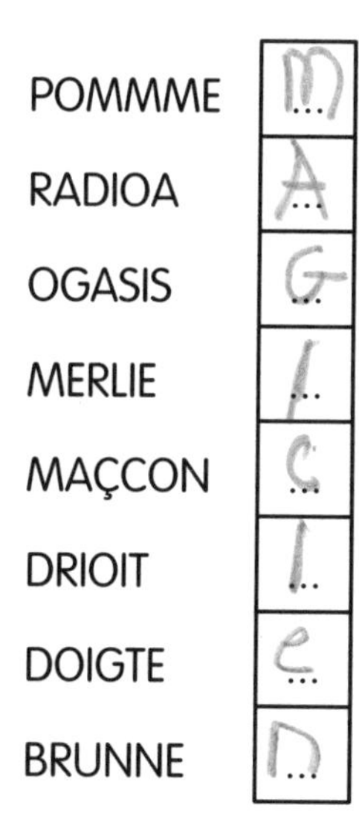

# LES MOTS CROISÉS

Le puzzle de mots croisés est tombé et les morceaux sont dispersés. Reconstitue le puzzle en plaçant les morceaux à la bonne place pour qu'ils forment des mots.

| L | E | M |
|---|---|---|
| O | L | I |
| I | O | |

| M | O | U |
|---|---|---|
| A | | S |
| I | R | I |

| | L | A |
|---|---|---|
| D | E | |
| O | G | E |

| | | B |
|---|---|---|
| O | S | |
| R | A | D |

| I | | A |
|---|---|---|
| V | E | |
| E | S | T |

| S | O | N |
|---|---|---|
| O | S | E |
| N | E | |

# LES BOÎTES DE CONSERVE

L' épicier veut ranger ses boîtes de conserve en plaçant le sommet de la pyramide en haut. Aide-le, en ne déplaçant que trois boîtes. Reproduis le dessin ci-dessous et essaie !

# CALCULE !

Tous les poissons représentent le chiffre 2.
Que vaut le point d'interrogation ?

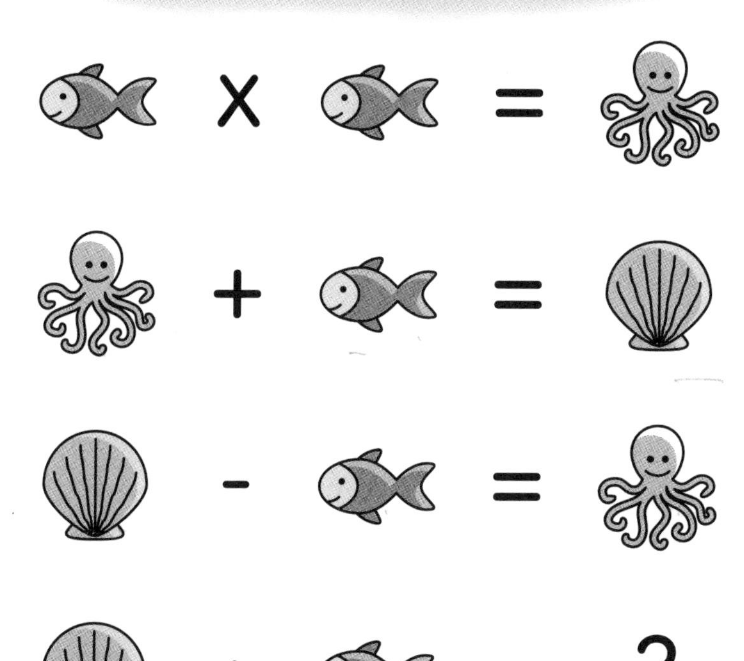

# MOUFLES, BONNET...

Trouve les mots correspondant aux définitions et écris-les dans la grille. Si tes réponses sont correctes, apparaîtra de haut en bas le nom d'une expression qui signifie un très mauvais temps.

1. Ils sont à glace ou à roulettes.
2. Se fête le 25 décembre.
3. Troisième mois de l'année.
4. On le décore de boules pour Noël.
5. Sport d'hiver.
6. Contraire de chaud.
7. Elle tombe souvent en hiver.
8. Pour y patiner en hiver.
9. Elle protège le cou quand il fait froid.
10. Saison froide.
11. Quand tu en as un, tu tousses.
12. Couleur d'un bonhomme de neige.

1
2
3
4
5
6
7
8
9
10
11
12

# LES IMAGES D'OISEAUX

Charles et Jérôme collectionnent les images d'oiseaux.
Mais, quel dommage ! Toutes leurs cartes sont tombées
par terre et se trouvent maintenant dans le mauvais ordre.
Si tu les replaces dans l'ordre de 1 à 21, tu liras
une expression qui signifie être très malin.

| 1 | 2 | 3 | 4 | | 5 | 6 | 7 | 8 | | 9 | 10 | 11 | 12 | 13 |
|---|---|---|---|---|---|---|---|---|---|---|---|---|---|---|
| ... | ... | ... | ... | | ... | ... | ... | ... | | ... | ... | ... | ... | ... |

| 14 | 15 | | 16 | 17 | 18 | 19 | 20 | 21 |
|---|---|---|---|---|---|---|---|---|
| ... | ... | | ... | ... | ... | ... | ... | ... |

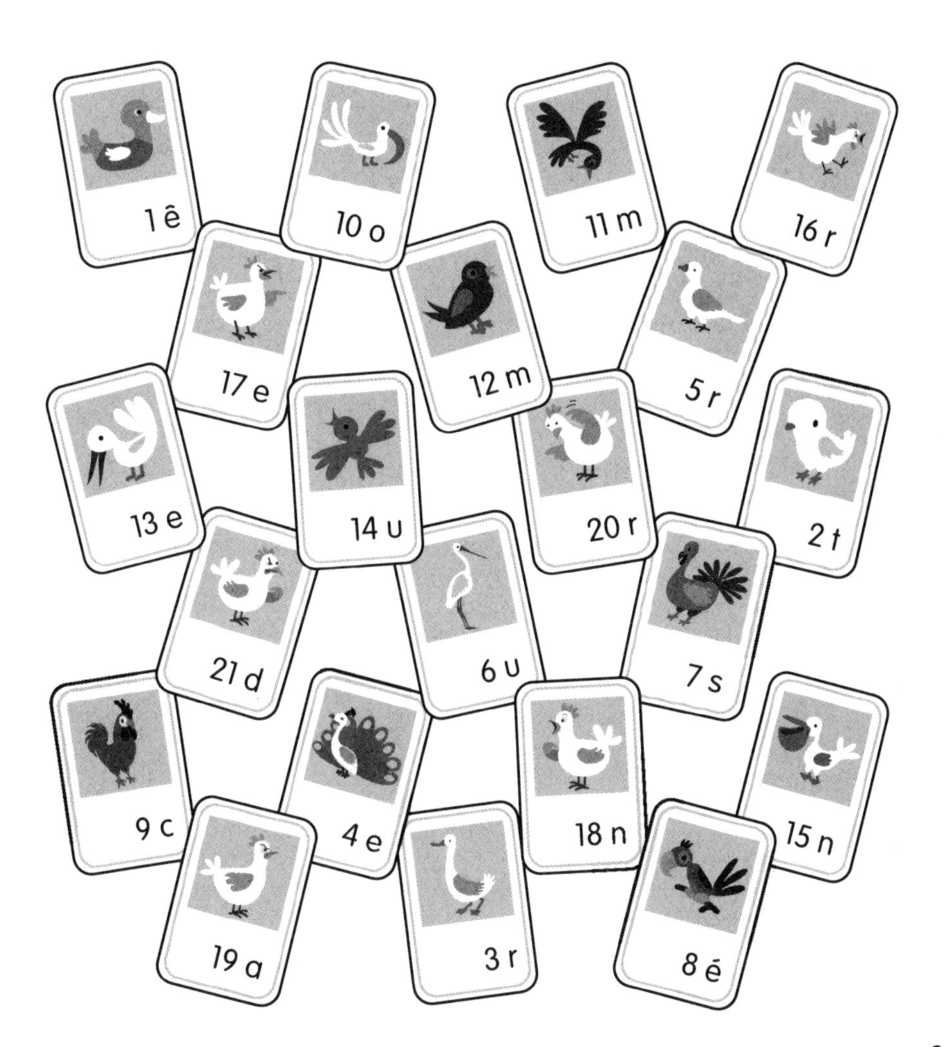
1 ê
10 o
11 m
16 r
17 e
12 m
5 r
13 e
14 u
20 r
2 t
21 d
6 u
7 s
9 c
4 e
18 n
15 n
19 a
3 r
8 é

# LES ÉTOILES

À toi de déchiffrer le message codé.

# LIRE EN ROND

Commence près du T, dans la direction des flèches.
Passe chaque fois une lettre. Que lis-tu ?

# LE MESSAGE DE FUMÉE

Un message de fumée est arrivé dans le camp des Indiens. Peux-tu le déchiffrer ? Les nuages contiennent chacun un nombre et une lettre. En replaçant les nombres dans le bon ordre de 1 à 35, tu liras le message. Des oiseaux cachent certains nuages.

| 1 | 2 | 3 | 4 | 5 | 6 | 7 | 8 | 9 | 10 | 11 | 12 | 13 |
|---|---|---|---|---|---|---|---|---|---|---|---|---|
| ... | ... | ... | ... | ... | ... | ... | ... | ... | ... | ... | ... | ... |

| 14 |
|---|
| ... |

| 15 | 16 | 17 | 18 |
|---|---|---|---|
| ... | ... | ... | ... |

| 19 | 20 | 21 | 22 | 23 | 24 |
|---|---|---|---|---|---|
| ... | ... | ... | ... | ... | ... |

| 25 | 26 | 27 | 28 |
|---|---|---|---|
| ... | ... | ... | ... |

| 29 | 30 |
|---|---|
| ... | ... |

| 31 | 32 | 33 | 34 | 35 |
|---|---|---|---|---|
| ... | ... | ... | ... | ... |

2 A
19 H
28 S
4 S
30 U
22 R
27 È
10 M
15 S
14 À
26 R
5 E
20 E
11 E
21 U
1 R
9 E
18 T
16 E
7 B
25 P
33 T
35 M
3 S
34 E
24 S
31 T
29 D
17 P
32 O

# QUI EST QUI ?

Les Indiens se sont rassemblés pour entamer la danse de la pluie. Mais qui est qui ? Regarde bien les vêtements des Indiens et écris leur nom sur les pointillés.

- Grand Chef : J'ai un tee-shirt rayé.
- Grand Sorcier : Mon pantalon n'est ni rayé ni uni.
- Grande Plume : Mon pantalon est rayé.
- Petite Plume : Mon tee-shirt et mon pantalon sont rayés.

**1.** . . . . . . . . . . . . . . . . . . . . . . . . .

**2.** . . . . . . . . . . . . . . . . . . . . . . . . .

**3.** . . . . . . . . . . . . . . . . . . . . . . . . .

**4.** . . . . . . . . . . . . . . . . . . . . . . . . .

1.
2.
3.
4.

# RELIE LES POINTS

Fais toutes les multiplications et relie ensuite les produits dans l'ordre des opérations. Un chiffre apparaît. Lequel ?

5 x 4 = ...

3 x 6 = ...

8 x 5 = ...

7 x 2 = ...

5 x 5 = ...

6 x 4 = ...

7 x 8 = ...

4 x 7 = ...

9 x 6 = ...

8 x 4 = ...

7 x 6 = ...

3 x 9 = ...

6 x 8 = ...

2 x 5 = ...

7 x 3 = ...

10 x 2 = ...

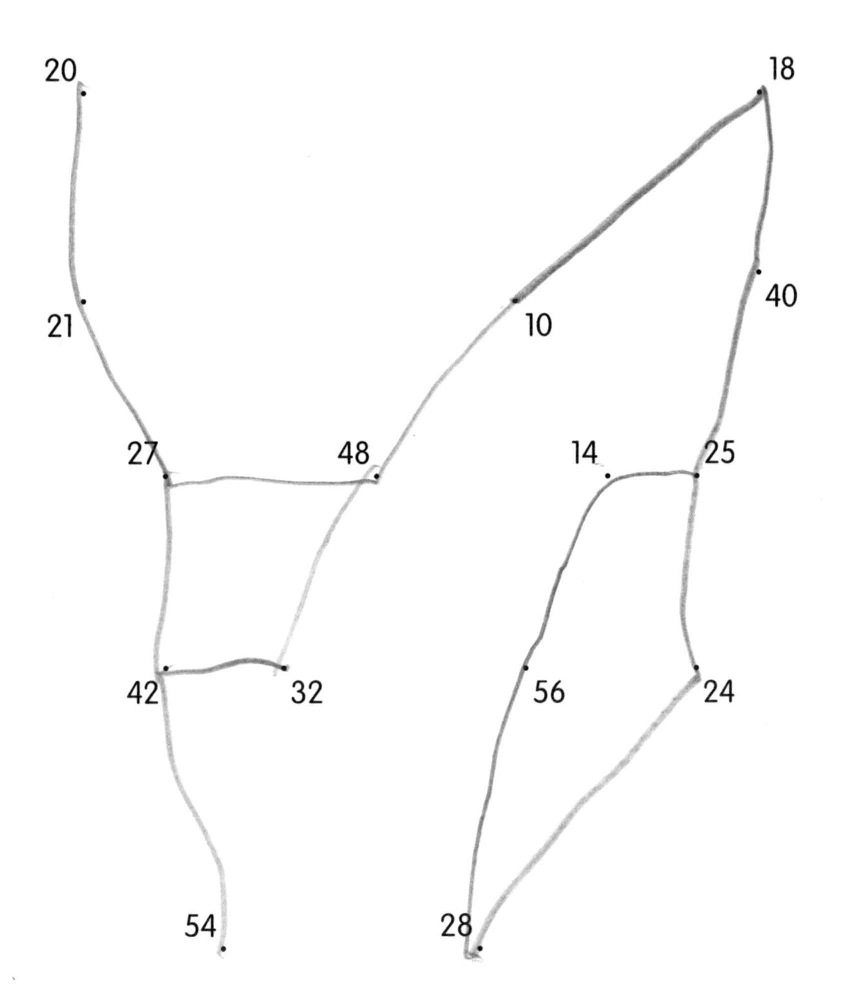
20
18
21
10
40
27
48
14
25
42
32
56
24
54
28

# ADDITIONS DE DESSINS

Chaque dessin représente un chiffre : 2, 3 ou 4.
À droite et sous les dessins, tu trouveras la somme des chiffres de cette rangée ou colonne. Quel chiffre correspond à chaque dessin ?

= ...

= ...

= ...

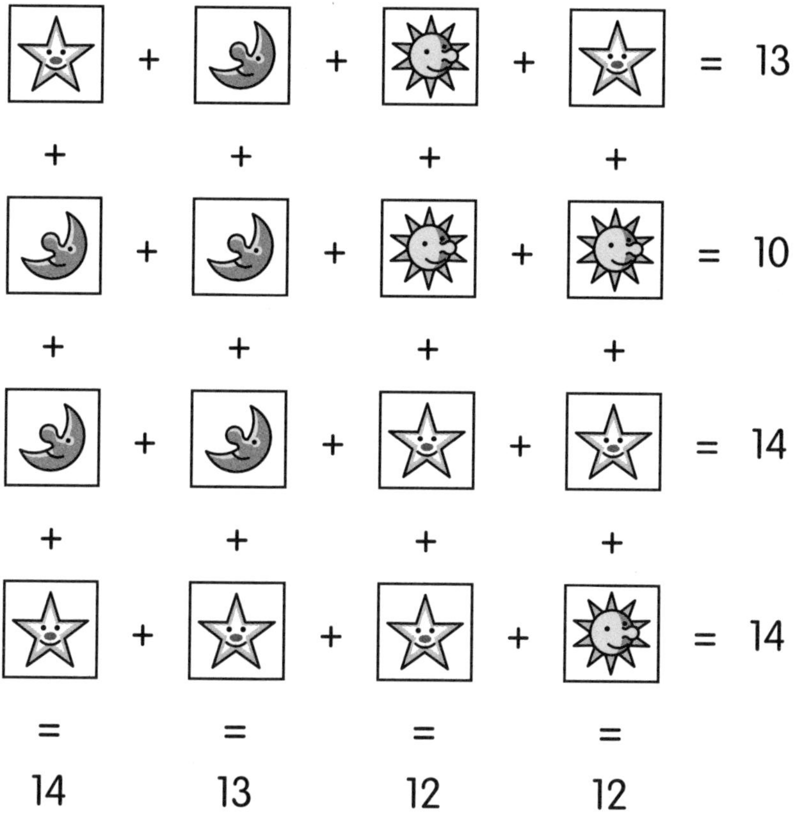

|  |  |  |  |  |  |  |  |  |  |
|---|---|---|---|---|---|---|---|---|---|
|  | + |  | + |  | + |  | = | 13 |
| + |  | + |  | + |  | + |  |  |
|  | + |  | + |  | + |  | = | 10 |
| + |  | + |  | + |  | + |  |  |
|  | + |  | + |  | + |  | = | 14 |
| + |  | + |  | + |  | + |  |  |
|  | + |  | + |  | + |  | = | 14 |
| = |  | = |  | = |  | = |  |  |
| 14 |  | 13 |  | 12 |  | 12 |  |  |

# LA GRANDE ROUE

La somme des trois nombres qui se trouvent sur une ligne doit être 45. Certains nombres sont déjà écrits, mais il faut encore compléter le cercle par les nombres 16, 17, 18 et 19.

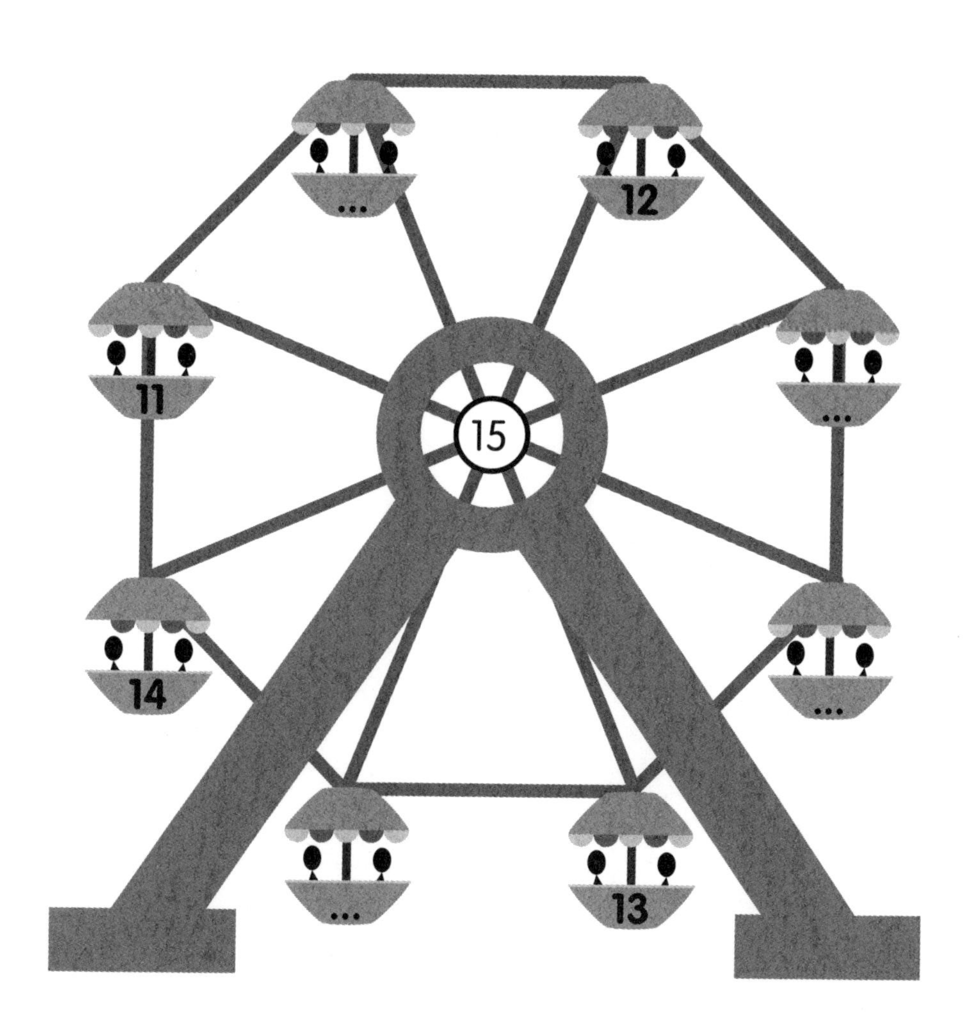
...
12
11
15
...
14
...
...
13

# LES MOTS CROISÉS

Le puzzle de mots croisés est tombé et les morceaux sont dispersés. Reconstitue le puzzle en plaçant les morceaux à la bonne place pour qu'ils forment des mots.

| I | R | E |
|---|---|---|
| C |  | T |
| I |  | E |

| I | S | T |
|---|---|---|
| N |  | A |
| E | U | L |

| T | R | E |
|---|---|---|
| E |  | R |
|  | T |  |

| E |  | N |
|---|---|---|
|  | F | T |
|  | A |  |

| A | R | T |
|---|---|---|
| R | I | E |
| T |  | S |

| E |  | L |
|---|---|---|
|  | L | A |
| E |  |  |

| S | S | E |
|---|---|---|
|  | A |  |
| A | N | E |

|  | M |  |
|---|---|---|
| S | U | D |
|  | R | E |

| P | A | G |
|---|---|---|
| O |  | E |
| R | O | L |

# LES ATHLÈTES

En mélangeant les lettres de leurs nom et prénom, tu connaîtras la discipline de chaque athlète. Exemple : Nina Tato –> natation.

| NINA TATO |
|---|
| NATATION |

| LISE MYCC |
|---|
| . . . . . . . . . . . |

| TARA KÉ |
|---|
| . . . . . . . . . . . |

| WALTER OPO |
|---|
| . . . . . . . . . . . |

TOM HARAN
. . . . . . . . . . .
LOLA VLYBEL
LINA TROTH
MATHIS LÉTE
. . . . . . . . . . .
. . . . . . . . . . .
. . . . . . . . . . .

# LES PIÈCES DE PUZZLE

Toutes ces cartes ont leur place sur le puzzle. L' une d'elles est déjà bien placée. À toi de jouer ! Difficile, n'est-ce pas ?

Les cartes peuvent être posées ▭ ou ▯

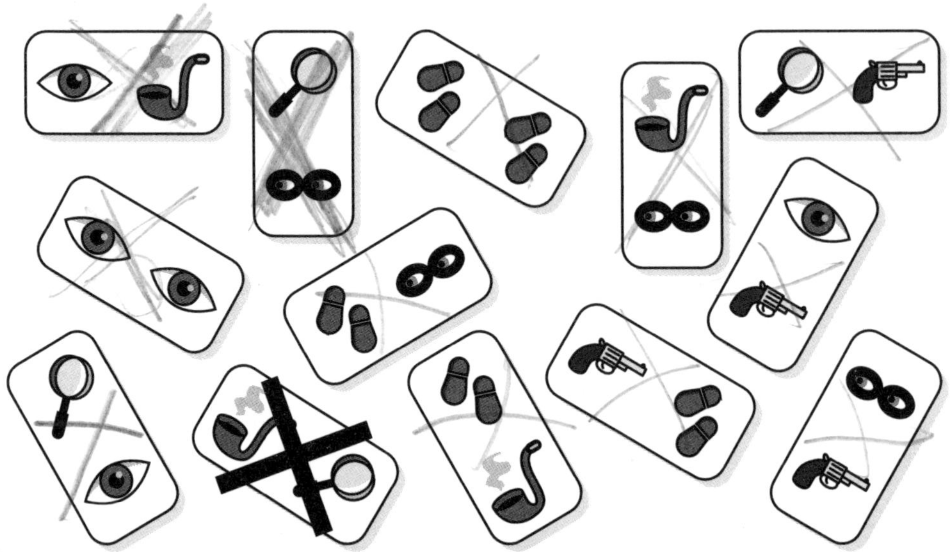

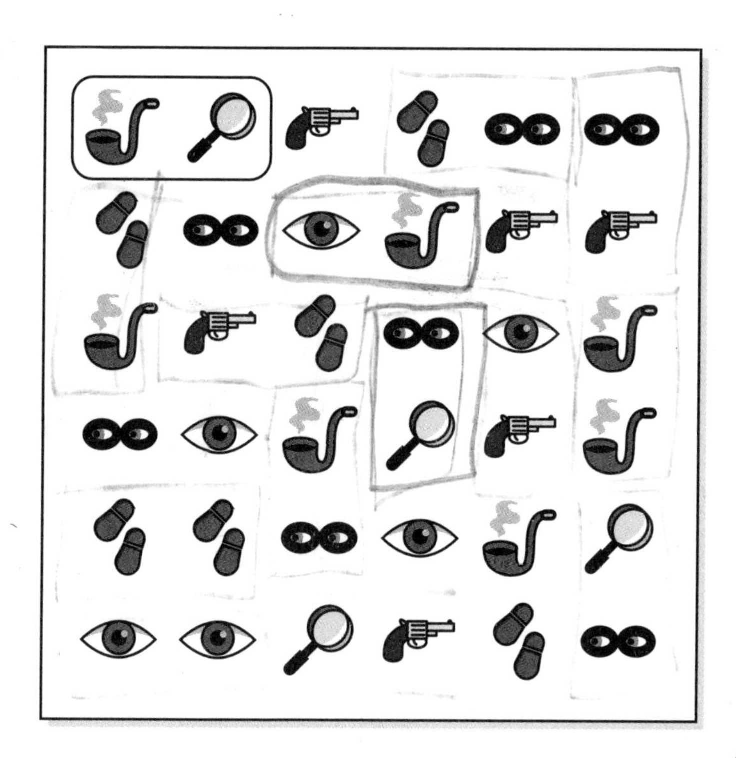

# LES CALCULS MAGIQUES

Résous les opérations et écris le résultat dans les cases. Convertis ensuite les chiffres en lettres : 1 = a, 2 = b, 3 = c, etc.
La solution est une fête déguisée.

27 : 9 = ... → ...

15 : 15 = ... → ...

24 - 6 = ... → ...

2 x 7 = ... → ...

1 x 1 = ... → ...

44 : 2 = ... → ...

1 : 1 = ... → ...

36 : 3 = ... → ...

# LES SUITES LOGIQUES

Ces nombres forment une suite logique.
Complète chaque rangée.

A) 2 - 6 - 5 - 9 - 8 - ... - ... - ...

B) 1 - 2 - 4 - 7 - 11 - 16 - ... - ... - ...

C) 26 - 21 - 17 - 14 - ... - ...

D) 2 - 4 - 8 - 16 - 32 - ... - ... - ...

# LES MAILLOTS

Les maillots de l'équipe de football sont étendus sur le fil pour sécher. Chaque numéro est bien visible. Il faut encore étendre sept maillots. Sais-tu lesquels et pourquoi ?

?
6
?
?
15
?
?
24
?
?

# LES PYRAMIDES

Ajoute à chaque fois une lettre. L'ordre des lettres peut changer.

1. Première lettre.
2. Article défini.
3. Étendue d'eau.
4. Groupe.
5. Tu aimes que maman t'en fasse un.
6. Neuvième lettre.
7. Note de musique.
8. 2e pers. sing. (ind. présent) de lire.
9. Sous-vêtement.
10. Beaucoup de mammifères en ont sur le corps.
11. Quinzième lettre.
12. Métal précieux.
13. Il gouverne un royaume.
14. Le début de la nuit.
15. Tu en bois quand tu es malade.

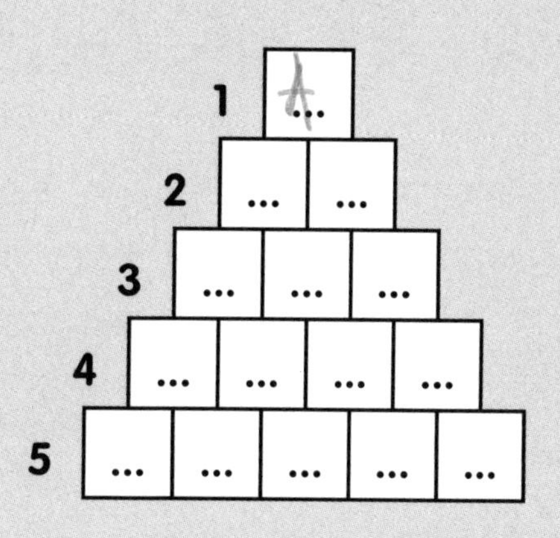
1
2
3
4
5

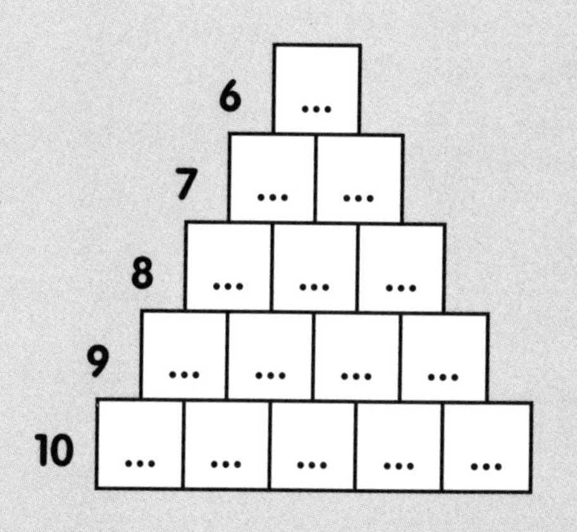
6
7
8
9
10

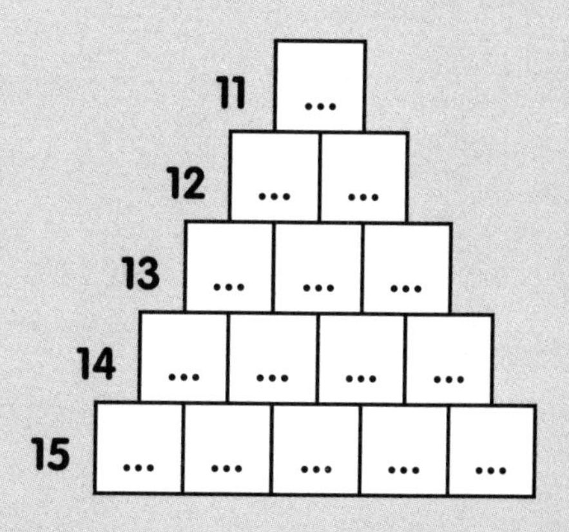
11
12
13
14
15

# L'ESPALIER DE CHIFFRES

Cet exercice fait travailler tes méninges ! Commence au bas de l'espalier et monte en résolvant les opérations. Écris le résultat final dans la case. Convertis ensuite les chiffres en lettres : 1 = a, 2 = b, 3 = c, etc. La solution est un petit mammifère.

| ... | ... | ... | ... | ... | ... | ... | ... |
|---|---|---|---|---|---|---|---|
| ... | ... | ... | ... | ... | ... | ... | ... |
| = | = | = | = | = | = | = | = |
| 9 | 9 | 19 | 32 | 1 | 1 | 20 | 1 |
| - | - | - | - | : | x | - | : |
| 5 | 4 | 11 | 26 | 2 | 5 | 7 | 4 |
| - | - | + | + | : | x | + | : |
| 13 | 5 | 52 | 2 | 2 | 2 | 20 | 2 |
| + | - | - | - | : | x | - | : |
| 6 | 2 | 76 | 20 | 1 | 2 | 25 | 2 |
| - | + | + | + | : | x | - | : |
| 20 | 17 | 2 | 1 | 60 | 1 | 78 | 80 |

# UNE LETTRE CHANGE

Trouve les mots correspondant aux définitions et inscris-les dans les grilles. Il n'y a qu'une seule lettre qui change d'un mot à l'autre.

1. Le roi des animaux.
2. Sert à lier.
3. Contraire de mal.
4. Contraire de quelque chose.

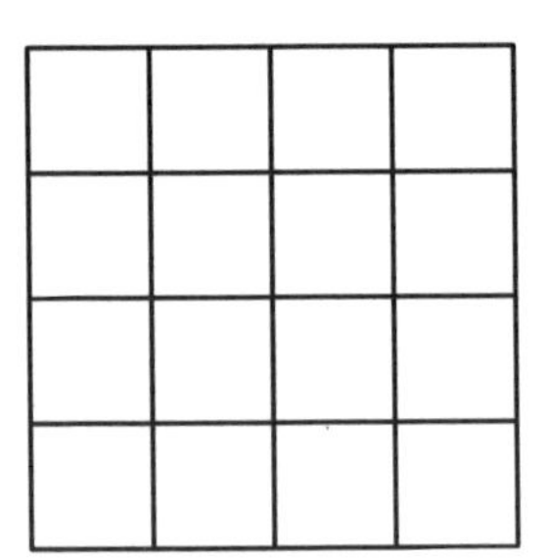

5. Synonyme de journée.
6. Partie du visage.
7. Il y en a deux à ton vélo (au sing.).
8. Fleur qui sent bon.

9. Maman.
10. Synonyme d'identique.
11. Forme du verbe mimer.
12. Sert à limer.

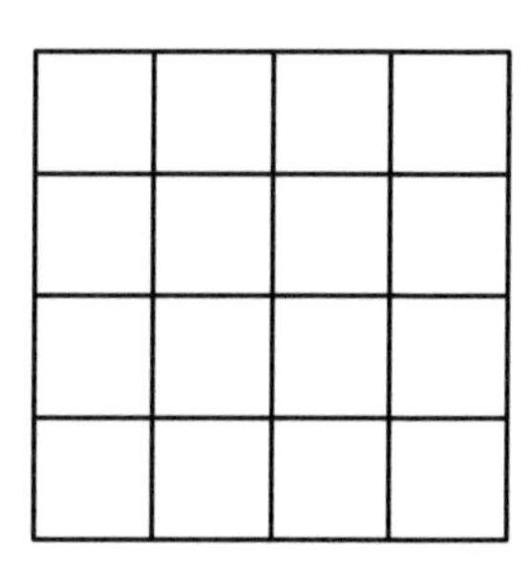

13. Contraire de beau.
14. Femelle du sanglier.
15. La vache nous l'offre.
16. Forme du verbe faire.

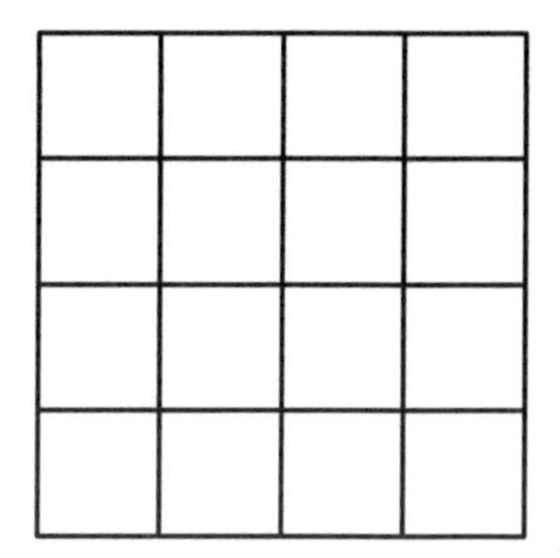

# LES POULES

Les poules n'arrêtent pas de se disputer et le fermier a décidé de les séparer. Aide-le en traçant quatre lignes droites.

# LES SEPT DIFFÉRENCES

Ces deux dessins se ressemblent très fort, mais il y a 7 différences. Indique-les d'une croix.

# SOLUTIONS

**L' INTRUS** **p. 3**

Éléphant (son nom ne commence pas par p).

**LES MOTS MASQUÉS** **p. 4/5**

Hiver.

**LES FLEURS** **p. 6/7**

1-B / 2-L / 3-P / 4-D / 5-F / 6-V.

**LES CUBES DE MOTS CROISÉS** **p. 8/9**

1. Aile / 2. Îlot / 3. Loir / 4. Être / 5. Bras / 6. Rare /
7. Ardu / 8. Seul / 9. Nord / 10. Orée / 11. Reçu / 12. Deux.

**LES RANGÉES DE SIGNES** **p. 10/11**

1. Non.
2. 
3. 
4. 
5. Les rangées 1 et 6.
6. 9.

**RIEN QUE DES C** p. 12/13

Clé / clown / cuisine / commander / Chinois / cogne / ces.
Losange.

**LES DÉLICIEUX GÂTEAUX** p. 14/15

Il pourra préparer trois gâteaux et il restera 2 œufs, 300 grammes de beurre, 75 grammes de farine et 400 grammes de sucre.

**LES MOTS MASQUÉS** p. 16/17

La belle au bois dormant.

**LES INTRUS** p. 18/19

1. Bac (pas un vêtement) / 2. Violon (pas une fleur) / 3. Cigogne (pas un mammifère) / 4. Jus d'orange (pas un produit laitier) / 5. Tambour (pas un instrument à vent) / 6. Chou (pas un fruit) / 7. Règle (pas pour écrire) / 8. Table (pas un siège).

**LES COCCINELLES** p. 20/21

Bête à bon Dieu.

## LES CRAYONS

p. 22

## SIX LETTRES, C'EST TROP !

p. 23

Magicien.

## LES MOTS CROISÉS

p. 24/25

| M | O | U | ■ | I | ■ | ■ | L | A |
|---|---|---|---|---|---|---|---|---|
| A | ■ | S | O | L | I | D | E | ■ |
| I | R | I | S | ■ | L | O | G | E |
| S | O | N | ■ | P | E | S | E | R |
| O | S | E | R | ■ | ■ | E | R | E |
| N | E | ■ | ■ | V | A | ■ | E | ■ |
| ■ | ■ | B | L | E | M | I | ■ | A |
| O | S | ■ | O | L | I | V | E | ■ |
| R | A | D | I | O | ■ | E | S | T |

## LES BOÎTES DE CONSERVE

p. 26

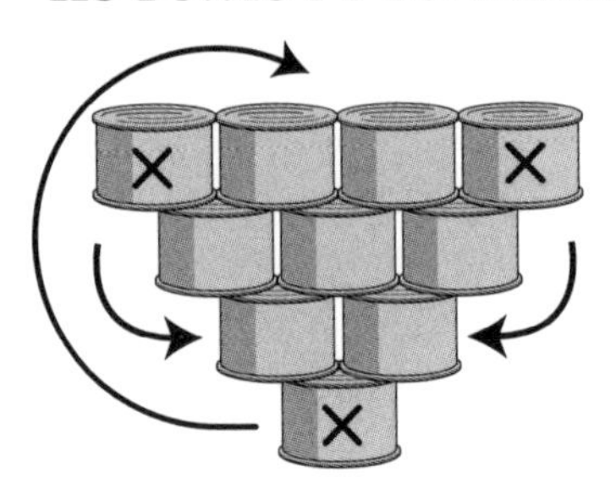

## CALCULE !

p. 27

2 x 2 = 4
4 + 2 = 6
6 - 2 = 4
6 : 2 = 3
? = 3

## MOUFLES, BONNET…

p. 28/29

1. Patins / 2. Noël / 3. Mars / 4. Sapin / 5. Ski /
6. Froid / 7. Neige / 8. Glace / 9. Écharpe /
10. Hiver / 11. Rhume / 12. Blanc.
Temps de chien.

## LES IMAGES D'OISEAUX

p. 30/31

Être rusé comme un renard.

**LES ÉTOILES** p. 32

Je vois des étoiles.

**LIRE EN ROND** p. 33

Tu as la tête qui tourne.

**LE MESSAGE DE FUMÉE** p. 34/35

Rassemblement à sept heures près du totem.

**QUI EST QUI ?** p. 36/37

1. Petite Plume
2. Grand Chef
3. Grande Plume
4. Grand Sorcier

**RELIE LES POINTS** p. 38/39

Le chiffre 7.

**ADDITIONS DE DESSINS** p. 40/41

★ = 4 ☀ = 2 ☾ = 3

## LA GRANDE ROUE

p. 42/43

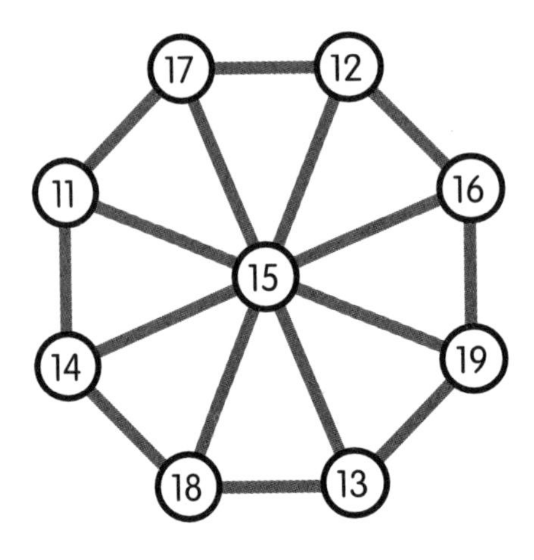


## LES MOTS CROISÉS

p. 44/45

## LES ATHLÈTES p. 46/47

Lise Mycc –> cyclisme / Tara Ké –> karaté / Walter Opo –> water-polo / Tom Haran –> marathon / Lola Vlybel –> volley-ball / Lina Troth –> triathlon / Mathis Téle –> athlétisme.

## LES PIÈCES DE PUZZLE p. 48/49

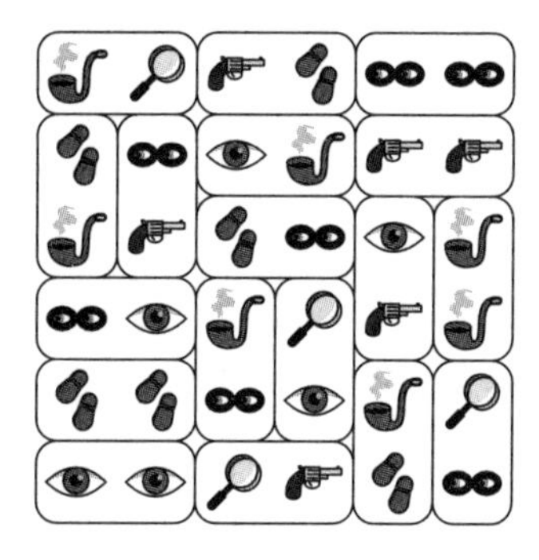

## LES CALCULS MAGIQUES p. 50

3 = c / 1 = a / 19 = r / 14 = n / 1 = a / 22 = v / 1 = a / 12 = l.
Carnaval.

## LES SUITES LOGIQUES p. 51

A) 12 – 11 – 15. (+ 4, -1 )
B) 22 - 29 - 37. (+ 1, + 2, + 3...)
C) 12 – 11. (- 5, - 4, - 3, - 2, - 1)
D) 64 – 128 – 256. (x 2)

**LES MAILLOTS** p. 52/53

Il faut encore étendre les maillots n$^{os}$ 3 – 9 – 12 – 18 – 21 – 27 – 30. Ce sont ceux de la table de multiplication par 3.

**LES PYRAMIDES** p. 54/55

1. A / 2. La / 3. Lac / 4. Clan / 5. Câlin.
6. I / 7. Si / 8. Lis / 9. Slip / 10. Poils.
11. O / 12. Or / 13. Roi / 14. Soir / 15. Sirop.

**L'ESPALIER DE CHIFFRES** p. 56/57

13 = m / 1 = a / 18 = r / 13 = m / 15 = o / 20 = t / 20 = t / 5 = e.
Marmotte.

**UNE LETTRE CHANGE** p. 58/59

1. Lion / 2. Lien / 3. Bien / 4. Rien.
5. Jour / 6. Joue / 7. Roue / 8. Rose.
9. Mère / 10. Même / 11. Mime / 12. Lime.
13. Laid / 14. Laie / 15. Lait / 16. Fait.

## LES POULES

p. 60/61

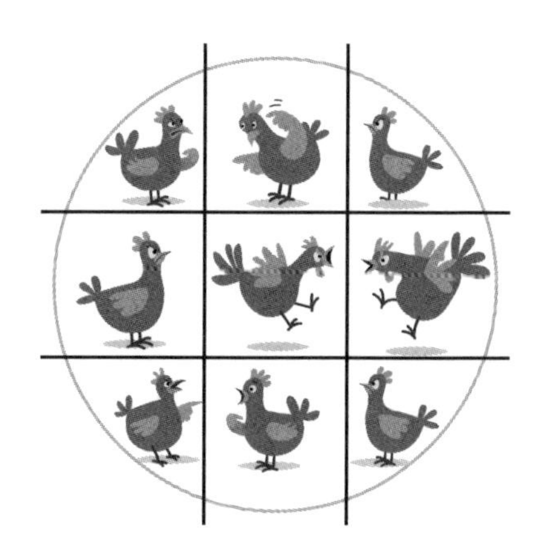

## LES SEPT DIFFÉRENCES

p. 62